Maailmat lumen vesistöissä

Mirkka Rekola

Maailmat lumen vesistöissä

Proosarunoja, aforismeja

Werner Söderström Osakeyhtiö
Porvoo · Helsinki · Juva

© Mirkka Rekola 1978

ISBN 951-0-08588-x

WSOY:n graafiset laitokset
Porvoo 1978

Ei ehdi sanoa 'tuuli', kun se tempoo taas, nykäisee kierroksia. Ja ihmiset meren rannalla huopiin kääriytyneinä, huopiaan tempoen, uimapukusillaan, monta niin munanmuotoista, pisaranmuotoista tänään täällä, että päivä tulee soikeaksi. Siitä tulee kaksi.

Minä näen kaksosia, joita työnnetään istuinvaunuissa, kaksosia, jotka kävelevät rinnakkain, jotka juoksevat rantaan peräkkäin samanvärisissä vaatteissa. Kaksosia, tämä päivä ja eilinen.

Ruskeat lehdet kirmasivat aavaa kenttää, poika juoksi niiden seassa, kuiva pyöreä lehti kädessä hän palasi kasvot nauraen: minä voitin tämän.

Tulevat päivät, jotka valahtavat käsivarsia myöten, kaikki mennyt, menneitten kuvitelmien saaret, jalkojen ympäriltä suhisten pyörähtävät pois ja niin kuitenkin kantaa kuin lehmuksenoksan tuulessa maa omansa.

Minä kuulen lokin kirkuvan ilman tulen liekeistä. Maailma tuolla yhdessä veneessä ja nyt se irtoaa.

Vähän aikaa vieressäsi, pitkä lehtokuja.

Minä istuin pienen aluksen kannella pelastusrengas-laatikon päällä, ajattelin ihmisiä, jotka täällä asuivat, olivat asuneet kauan sitten, muuttuneet saariksi, naisiksi jotka lepäsivät veden alta. Keikuin siinä, söin savustettua kampelaa, merestä nousi usvapilviä, katosin muistoilta, jotka lepäsivät veden alta, mykät hunajaiset huulten ympärillä parranhaiven. Keinuin siinä, sen laatikon päällä, niin taatusti pelastettu että ei pelastusta enää. Saari saarelta, saari saarelta minä katosin muistoiltani.

Menneisyyksillä on tämä näköisyys, minä muistan ne vielä. Ja nyt moni kantaa niitä. Minun uneni melkein mennyt. Ja katselen heitä, heidän unennäköään, heidän näkönsä unta.

Ei sinun mennyt aikamuotosi eroa maailman nykyisyydestä, sen kera olet poissa.

Mutta maailma valehtelee nykyisyytensä!

Mikä meni, sai mennä, vaikka olisi kulkenut kengissäni, mennyt omissa jaloissani pois.

Ollutta on ja mennyttä kaikki. Mikä perfektionisti.

Mene nukkumaan ajoissa.

Eilen sinua vielä huudettiin pihalta syömään samalla nimellä, jolla nuo lapset nyt huutavat sinua ulos.

Valkoisten pilvien puitten alla hän katsoo silmiin nukkea, jolla hänen äitinsä leikki.

Silmät itkevät, jotakin pientä ja pyörivää, kaukana.

Minä sinua vastapäätä muistin sinut, ja tuolisi väistyi, hahmosi pieneni. Ja sitten olit taas siinä silmien pöydässä tällä taivaankappaleella toisen valossa. Kun menit, vanhus viereisessä pöydässä, katse lapsuuden puutarhoissa, sanoi toiselle: minä pidän valkeista kuulaista, valkea kuulas on minun mieliomenani.

Päivissä ei ole pysähtynyttä ikävä vaan toiveitten asukas minussa kulkee varjoissa. Katu, jota he menevät, on mennyt. Ja liikun yhä liki rantaa. Näin yksinäistä ei ole.

Minun oli aina käännyttävä teiltä. Se on merenranta.

Näköisensä se on, autio, kadonneen tilassa. Mutta veneesi vahvistetaan, terälehti on suoja, vedensileä.

Sinussa lintujen kanssa ja kaukaisilla vesillä kimalluksen päivä.

Maan kulhossa tämä on veden ateria. Minkä se sitoo, sen se nopeaan päästää.

Katoavuus virittää kielen suurelle preesensille.

Näe nyt jo läsnä ja poissa niin et hänen mentyään joudu sanomaan: vasta nyt ymmärrän.

Ei edes suru saa tehdä työtään ihmisessä, niin eksyksissä hän on että tekee jo surunkin työtä.

Erakon pitkän iän salaisuus: ei nähnyt kenenkään kuolevan.

Maailmaa liitävät pois menneitten perhoset, silmä-
luomillanne te värähtelette.

Elämän rukousta vastakohdat, jotka kamppailevat ja yhdistyvät toisiinsa niin että ovat poissa. Poissaolevan rukousta tämä elämä.

Ei mihin väistää iskua, ei tukea kun kaatuu. Ei mitään tilalle, siinä koko tila.

Päivät valkeita hiiliä, hauraita. Niin yötkin, tulesta toivottomasta.

Nuo kaksi ovat syntyneet eri aikoina. Toinen oli jo muutaman vuoden keväällä kun toinen syksyllä vasta alkoi. Olen jättänyt heidät toisilleen, poistanut näköisyyksiä, kuten hämmennyksen suu auki, tavan seistä ja liikkua, muistuttaa ovea, olen poistanut oven. Minä olen kaupunkini permannolla. Minä taputan käsiä yhteen eikä ketään jää väliin.

Täällä kyyhkysten parvi kulkee kenkieni myötä, kaikkialle päivä ja ruskeitten lehtien keskelle kesänkirkas kukkahauta.

Minä olin huutanut nimesi vanhaan ruukkuun, sinne vain, ja sinne satoi vettä. Se oli pilven hyvä kappale maata. Yöllä se alkoi kävellä, kreikaksi, ei, latinaksi se alkoi kysellä korvia, se halusi juopotella. Se sanoi olevansa se ainoa, mikä on jäljellä täällä ja menevänsä pian rikki. Pilvi minua ympäröi, sama pilvi, minä kiedoin käteni sen ympärille.

Sinä seisoit suorakaiteen edessä. Ikkunan verhot, kappa, muistutti roomalaista triumfiporttia, seisoit siinä meren edessä, sen eteen päin ryntäävän paljouden portti se oli, ennen kuin ehdit väistyä siitä, tämä joonialainen pylväs murtuu, sanoi vanha ääni.

Toiset nousevat varpailleen nähdäkseen taivaan-
laen liikahduksen, tarinan kätkyt, se uinuu siellä.
Paina otsasi. Tämä liitto ei purkaudu enää, ukkosen
iskemä, hiljaisempi, sinä olet, jotta kohtaisit aineen
niin kuin sitä ei olisi välissä.

Aktiviteetti, on, mennyttä.

Koko ajan se on tanssinut, sen askeleet: että sinä tunnet kuolleesi, menneisyytesi niiden alla.

Vuodenajat, yöt ja päivät, matka toistuu, työ, askeleet, kipu. Toistuu ja toistuu. Ja niin pitää ylikantava liike ja vie.

Kenen käsittämä on tämä tanssija, kuka sen tuntee?

Ihmiset, kuuhun ja aurinkoon harjoitetut. Jokaisessa pari eikä se yhdisty ilman toista paria. Sitä on vuorojen leikki, maailma, näytelmä näytelmässä. Se karkaa silmistä, käsistä, jaloista. Sinä et sitä saa kiinni. Se menee jo tuolla, se huutaa kumppanikseen. Ja tässä ratkesi se huuto. Pian sinä näet heidät piirissä, pian he jo tanssivat sinun kukkanurmellasi.

Kauan sitten kadotin peilikuvani, enkä näe, ellei nyt joku siinä ole katsomassa, siihen sinä mahdut ja aikojen pilvet, varpusten pehmeä maasta nouseva parvi, se kukkalehto, temmeltävä taru, joka on muka kadonnut, kun sitä ei ollut, ei ole kukaan poistunutkaan sen tuoksunpiiristä, sanonut sanaakaan yli.

Jonakin aamuna tajusin kuinka syvällä minussa olet, unesta noussut. Nukkuneen vaatteet sinä sait aamulla omiksesi.

Rakkaus heissä vaihtaa paikkaa, missä se nyt on, sitä he eivät heti tajua.

Missä sinä viivyt, minkä verhon takana olet? Toinen: minä olen se verho.

Älä julki huuda, eikö tämä elämä koko ajan käy ilmi salasta.

Etkä sinä uskonut että sinun epäilysi läpi, siihen verhottuna vaelsi.

Rakastaa sitä missä ei vielä rakkautta ole. Niin sitäkin sitten missä ei ole enää.

Hän kantaa jotakin ja sinä kannat häntä. Voi elämä, maatuska.

Miten paljon tarvittiin että hän pääsi kehästä. Ja nyt hän näkee kaiken siinä karusellissa, nyt hän tekee poissaolostaan kehää.

Ei myöntynyt antamaan sinistä päivää pitkälle historialle, ei tosiasioiden julmuudelle enää, maailman loppuessa eli vielä sen ympäri, murhetta: että kukaan ei ehtinyt sieltä.

'Nakkasimme hänet jyrkänteeltä vanhaan tapaan heti kun näimme miten hän sinersi.'

Tarpeeton pyyhitään yli.

Te tarvitsette syntipukin, te teette sen ja se potkaisee teitä.

On niitäkin jotka vielä pilvissä pitävät hahmonsa.

Mistä alkaa näkyä, siellä on kiusaaja heti paikalla.

Entä jos synnymme kuolemanpelosta.

Kun hullu tutkittiin tarkasti, päästä löytyi tähden-mentävä reikä.

Kuolemasi identiteetti?

Jokin pelkistyy. Pelko.

Voi penseätä, hän jättää toisen vihattavaksi.

Sairaudet tarvitsevat hyväksynnän ja huolenpidon.
Meidän rauhamme, rauhasemme.

Lapsi näkee turvattomuuden edessään, vanhuksissa.

Kuuluu huuto, joka ei ole toisen!

Ihmiset täällä sairastavat toista puoltaan niin kuin siltä olisi kadonnut kumppani eikä sillä olisi suunvuoroa saati omaa suuta sanoa sitä.

Eivät edes huomaa minua, sanot. Entä jos sinun on mentävä ohi niin nopeaan ettet edes näy.

Täytyy puhua joskus vaikeuksistaan. Joku siinä vielä puhuu; se rohkaisee toisia.

Kielessä on monta sijaa.

Oli voittanut maailman ja sai sitten elää voitettuna maailmana aikansa kaiken.

Aikojen umpikujassa me teemme seinille työmme.

Ilo on hyvä johdattaja, se on jo käynyt siellä, minne ollaan menossa.

Ihmisten paljoudessa minä näen silmien, joiden kasvot on peitetty, vaeltavan toisesta toiseen. Silmät vaeltavat, ottavat eri naamioita eivätkä tahdo mahtua kurkistamaan näistä raoista.

Silmänrävähtämän peili on toinen. Se minkä näet toisessa on poissa tästä niin että se tietää vapautusta toiselle.

Toisen kuva on tässä. Ja tästä on jotakin poissa, eikö olekin, yhtä nopeaan kuin voit kääntyä, päivä on kirkas, kirkas.

Sairaalan ylimmän kerroksen ikkunasta näkyi taivasta, hänen tummissa silmissään läikehti sini. Joka kevät lintu teki pesänsä samaan puuhun, joka kevät, aina ylemmäksi.

Kärsivän kasvot, monet heijastukset. Olla heijasta-
matta niitä takaisin. Pudottaa rauhaan. Ja sitten et
voi, ei ole putoamismatkaa enää.

Kaikki putoaa tavallaan pois koko ajan.

»Kaikissa heidän ahdistuksissansa oli hänelläkin ah-
distus ja hänen kasvojensa enkeli vapahti heidät.»
Heidän kasvojensa peilissä loisti.

Harmaana päivänä vaahterankeltaa maassa ja vielä puussakin lehtien hehku katulampun valossa. Harmaa muuri ja muurissa kaareva portti. Merellä, tummuvalla, vilahtaa laivan punaista ja vihreää valoa. Vaeltaa värien hehkussa, viimeisessä, puun tunto, luovuttamisen ikävä, kadonnut. Ihmetyksen silmät, muistoja nekin täällä, vaahteran lehdillä vettä.

Lehtien keltaa, tuuli heittää maahan, kävelen niin märkien puiden alla että loittonen pilveksi, pois minäkin nousen, en enää jouda ihmettelemään että olen täällä, en kanna autiutta enää, olen sitä.

Kaiken antoi mennä, virrata toisiin. Ja murhe autiudessa ja halu poistua. Sekin meni. Halu poistua meni toisen mukana pois. Ja murhe ja autius meni. Niin laulaa päivä liekkeinä katoamisen iloa.

On iso menneisyyden pilvi, valkea alla, kun kävelen jäällä.

Minä kiertelin tuolla auringossa, lumisilla kallioilla. Niin kirkasta oli että en ketään nähnyt. Parin askelen välin asetin jalkani jonkun jälkiin, koettelin: oletko mennyt tästä.

Sinä joka näet kasvosi lumessa, ihmisissä, auringossa pyyhkiydyt varmasti.

Valolla, jolla Hän luo kuvakseen, et näe toista.

Autiudessa, jumalan tilassa
katoaa kuljettu matka.

Ei jäljen jälkeä. Hanki kantaa. Kyyhkynharmaa lu-
mensiipi.

Auringonkelta lumiaavalla, kun kuljen railolle. Siinä
se, lumineva. Käännyn ja katson kuuranpeittämää
kaupunkia. Tulenpuna liukuu edellä, hiilen hehku.
Tämä palaa unohdukseensa.

Niin pieniä lumidyynejä, tuulen laineita,
kuin olisivat kengänkärjillä
juosseet pois kaupungista.

Kun kahdeksas lapsi syntyi, sen äiti kuoli. Lapsi oli melkein kylmä, se kiedottiin pumpuliin ja pantiin uunin jälkilämpöön, ja se lämpeni ja alkoi elää. Se oli kahdeksas, se oli kahdeksas elokuuta, ja se eli kauan, yli vuosien, vuosikymmenien, liki yhdeksänkymmentä, uuteen vuoteen, loppiaiseen asti.

Kahdesta virtaavat kasvot, monet. Niille sukupolvet, parin lapset, ovat kuva.

Ihminen etsiytyy siihen, mikä voi hahmottaa hänet, edellyttää hänet.

Sukupolvet edessä albumissa. Ja minä etsin niitä kahta, jotka edellyttää tuo kolmas, lapsi. Yhä uudestaan se etsii vanhempiaan kuun ja auringon piirissä.

Huutaa itsensä ilmoille, lapsi.

Sukupolvien uni maan ravinnossa haluaa herätä.

Hän asuu vielä vanhempiensa talossa, minä kuulen
sen äänestä, se huutaa ulos.

He kaipasivat juuri sitä, minne ei jää kuvaa, suurta
syleilyä johon kädet eivät yllä. Sukupolvet pääsevät
karkaamaan siitä, maa antaa sen aina.

Kuuntele hengitystä, tiheä. Sinä juoksit tähän. Halusit levätä viileitten lakanoitten välissä. Kuin ilon muisto: ne pysyivät viileinä joskus.

Niin on luomistyö kuin edeltä naurava. Avaruudesta aineeseen, joka ei sitä käsitä. Kuusen oksat alhaalta leveät kapenevat kapenevat ja latvankärkeen lentää pieni lintu.

»Missä sinä olit, kun minä maan perustin.» Älä väitä, ettet ollut. Missä minä, siellä sinä. Kun minä sanoin 'tulkoon' niin sanoit sinäkin mitä tuleman piti.

Vain valona sinä sen käsität.

Kristus haluaa olla vuosi, minä kuljen sen sateessa, minä en haluaisi sitä. Kuka tekee tilaa on portti, on kaksitoista porttia poistua täältä tänne.

Kytki syntymän luojaan, uusi liitto, kun teko oli irronnut omilleen, ihmisiin.

Luoja tulee lapseksi ihmisessä.

Meidän yhteytemme, vuosi.

Vuosi on paikka, kaupunki, kaksitoista porttia. Minä menen nyt yhdestä, joka on toinen. On lunta askelissa, pieniä kauppoja pitkällä kadulla, minä ostan aterian. Tulee pehmeä ilta, kumartuu silittämään päätä, hiukset valahtavat kasvoilleni.

Kahden maailma, otettu pois, niinkö? Vanhan-
aikaisia pikkukelkkoja, lapsia kirjavissa vaatteissa,
lumen pehmeässä puistossa, näkyy sukupolvien
murheen läpi.

Kasvojeni pimeässä kaipaamatonta, yhtä.

Keneltä ihmiset, ikäkaudet, keväät ja syksyt, menivät toisiinsa ja pois, ei voi olla muuta kuin uudessa liitossa täällä, yhteisellä aterialla.

Mikä on tuossa, ei ole tässä enää. Näin kulkee kaikki. Ja niin sinä olet yksin kynttiläsi kanssa.

Kun vuosi on paikka, siihen on synnytty uudesti ylhäältä.

Kolme porttia yli ihmisen, kolme, mutta ne ovat auki vuodessa, kun sinä liikut täällä ihmisissä, ikäkausissa, sinä olet ne auki.

Olet sinä vieläkin ihmisiksi.

Siinä se pyörii, mikä kumma kukka, kasvaa ja katoaa.

Ja kun sinä näet terälehdiksi vuoden, on jotakuinkin kolmio tuo irtileikattu kohta.

Että pysyt täällä. Hekö sinua pitävät? Niin kuin noista pienistä kolkista, kolmioista. Ei. Se on koko suuren korttelin kulma.

Minä kosketan. Ei siinä mitään. Päivänläikkä otsan yllä.

Kiiltävät jäiset mustat kalliot, virrannut vesi. Ja katu kulkee siitä ohi.

On lippupäivä talven kunniaksi, koska merkkimies
on unohtunut.

Minä juhlin, kilistän pakkasen kanssa.

Kaukana muistissa on kummallinen kultavaruksinen
tornin pesä. Sinne taottu sydän, pakotettu käsi,
upotettu silmät.

Sinä nouset unesta toiseen ja päivien tiu'ut tuolla alhaalla kuin käsi pensaiden oksissa keinuttaisi lintujen ääniä ympäriinsä. Minä soitan sinulle.

Valkoisten verhojen takana kuin muistaisi ikänsä lastenvaunuissa ja pumpuliäänet, lumen hämy, joku siellä odottaa sinua syntyväksi.

Sinä kuljit odotettua kauemmaksi.

Talven valkeassa puvussa sinä seisot vihreässä enkä minä muista päivien seuraavan, öiden, katseet silmien lintuina vaellan vielä, minä olen hypännyt käsivarsieni välistä, aikojen, totisesti, ne kättelevät selkäni takana, liittolaiset.

Sauva, jota minä kannoin kehien läpi, miksi ei keihäs, minä pyörittelin sen vartta nyrkissä, ja se teki terää. Hypitin sitä keskeltä sormien päillä; se oli ympyrän halkaisija, pallon. Minä annoin sen lentää kärkensä ympäri kaaren, ja se oli säde.

Nyt piirtää käsi ilman kehää

Sinä huusit viimeistä paria ulos: olemassaoloa ja ei-
olemassaoloa.

Olemuksesi kysymys. Sinä elät sen poissaolosta.

Attribuuttisi ovat maailmalla, annetut ja otetut.

Olemus ei ole ominaisuutesi, tai sitten se on ainoa.

Sinä elät sen kaltaisuutena. Joka on pyyhkiytymistä.

Oi että kaltaisissa on helmi. Kaltaisilla on kirjo.
Tämä maailma on uusi ja sarastaa.
Sillä ei ole mahdollisuuksia aikoihin.

Jätä odotus, että he kaikki yhtä olisivat.

On lennettävä yli ajan ja paikan ja lupausten.

Mahdollisuuteen tähtääminen asettaa tulevaisuuksia.
Se vie ikuisuuksia.

Puussa on siementätekevä hedelmä.

Kun vuosi on kukka, vuorokausi on kerrottu.

Pieni on öiden valkea, pieni on päivien musta.

Kahtiaolevat se estää, miekka, se pitää yhtä.
Se sysää liikkeelle pyörän parit, päivät ja yöt, vuorot-
taiset.

Entä nuo kahdentuneet, vedenväriset jo, entä nuo
kirjot. Mikä rengas ne yhdessä pitää, mikä sormus
ne täällä sallii?

Niin toisissaan kuin erillään, ne antavat peilin ja
parit.

Omat poskensa pitäisi nähdä.

Linnut täplittävät jäänreunaa, lokit ja nokikanat, valkeat linnut ja mustat. Ja kun jäät lähtevät, ne nousevat siiville, yöt ja päivät. Idästä kuuluu sorsan rääkäisy, tuntuu rintalastan alla. Tähtiä, kaupungin valoja sinä pyörit taivaanrannan jäällä.

Ei nouse autiudesta ihmisiin vaan liikkuu sen tilassa heissä. Ja kaikki pyyhkäistyy, kaikki pyyhkäistyy. Ilman ystävä, toiveitten väri aina hänen kanssaan. Ja »olkoot onnelliset kaikki kärsineet». Kaikki tulevat menevät. Tässä virrassa kasvaa puu, jonka varjo on kuoleman hidas ihme.

Loukkauskivi, siinä se on, missä ei mitään pitäisi enää olla, ei kiveä kiven päällä, ei elämän muistoakaan.

Ulkopuolella kehän vailla kiinnekohtaa ja alituisen paluun tyhjentymisessä, hän se sittenkin vielä, hänen edellytyksensä olla, oli tiellä. Juuri niin ettei mitään, hän kaiken.

Pitkänperjantain sateessa, Kristuksen ruumiissa, nuo linnut, varpuset, visertävät elämänsä.

Pulmusia, valkeita pehmeitä kuulintuja pyöreä-
käpyisessä ruskeassa puussa, ohutta taipuisaa liver-
rystä, ja sitten valkea kipinä ja parven liekkimäinen
lento. On puolikuun aika. Aallonmurtajan takana
lunta, vaaleanvihreää jäätä ja tummansinistä aavaa.
Joku vetää venettä lähisaaresta jään yli tänne.

Neliskanttisella kivellä pieni soikea lintu, ja nyt se on tässä, ja nuo pähkinäpensaat, vai mitä ne ovat, tulevat tähän ja alkavat helistä, niistä hyppii lapsia sateenkaaren väreissä. Sydämestä aukeaa viuhka ja pyörii niin että he kiitävät tästä mäkeä kaikenkirjavissa kelkoissa.

Pitkä vaalea nainen syö karhunlihaa kumppaninsa kanssa ravintolassa. Niin, minä arvaan, sitä se on, kun näen mesikämmenen ilmeen silmissä. Sitä se on, hän syö, ja nyt siinä on otso, joka katsoo melkein tuntevasti, kontio, kun hänen oikea jalkansa liikahtaa, kun käsi, oikea tassu, laskeutuu valkealle liinalle lautasen viereen.

Mustavalkoinen kyyhky, lumi katoilla sulaa.

Joku kävelee vielä kevätjäällä keppi kädessä mutta kun vilkaisen pois ei näy enää.

Etkö olekin, kun liikut tuolla puiden seassa, omalla varjollasi, maailmalla, sekoitat kevään mahlan.

Mitä minä kysyin, siihen olin jo vastannut. Sinä teit siitä elämänpituisen asian ja sen pituinen se.

Minun puheeni. Potkin varpaillani pieniä kiviä.

Ja kaikki on onneksi kuin salaisuudeton sekoittuminen maailmaan.

Lumi on sulanut puun oksilta, oksat ovat runkoa mustemmat. Sama suu sanoo sinun nimesi ja minun, kuinka monta kevättä.

Vaikka et ymmärrä, on kevät täällä. Virtoina ja noroina valuu kuu ja aurinko mustien kivien yli.

Minä päihdyn, elämäni aava. Ei kuvien, ei heijastusten tyranniaa. Maailmat lumen vesistöissä. Minä muistan kasvoja ja päästän ne.

Ranta kuin huudahdus, kevätpäivä, juoksisi läpi kesän, ei lehteä puissa, ei enempää ehtisi, vedenläikettä päivät ihmisineen kaikkineen. Tiheästi elostuu valoisa.

Kun katson auringon heijastuksia vedessä, kuin atomien poukkoilua, näen veden peiliksi, veden tuuleksi aineen. Siinä se juoksee, auringonkilo, vieressä, niin aina kuin vedessä kuljet vetten päällä.

Anna aineen olla kultapalloina, veteen vaatetettuna, anna olla.

Ruohontupsu, lokki lokkiparvi, meri, veneenkyljet, sinä, laiturit ja pilvet. Kuin aina syvenisi, irtoaisi, värit yhä lähempänä. Maailma on kukkani kukka. Kaikki mikä on otettu pois. Päivän askeleita maisema liikkuu myötä. Ja minä valvon lokin asentoa kun se seisoo, valkeanharmaa, tummanviheriää ruohoa vasten, niska kyömyssä, jalat haralla, koska tuolla etäällä nousee merelle myrskyn tummuus ja sen tummanpunainen nokka häikäisee.

Kevään valossa ruskeat silmät läikähtävät sinistä, kadulta kadulle heidän katseensa kysymys: kuka minä olen? Sinä kuljet heidän kaipauksensa, heidän hymynsä huulilta huulille. Mitä eivät tohtisi, sen ne sanovat.

Että ovat päivänsä kaiket yönsä niin sydämenleh-
delle harmaalle kaltaistuneet. Ja silti näkevät toi-
sensa. Sen hetken leimaus. Ei sitä osaa sanoa, siihen
lyödään heti sinetti.

Visertävät linnut, yön ja päivän häkin portit auke-
nevat.

Ei tervehdi, kääntyy pois. Siellä on kukassa kir-
sikkapuu.

Kesä kesältä mustarastas laulaa kauempana, niin eh-
tii piha minulta avartua.

Sinä sanoit 'tule' ja minä sanoin 'tule'.

Maailma on iloinen kun kohtaamme.

Kesän kukkien kirjo on kaikkien aikojen täällä.

Vuoren tummansininen ilta, ei odotuksissa kenessä-
kään. Pilvi on hajonnut, muistinhahmo ei vangitse
enää, toinen ihminen. Mikä on oleva, on jo.

Minä nousen nyt, minä jätän tämän kivipenkin,
odotukseni.

Anna sanoille silmäsi, säteilevät.